First published in 1984 by Andersen Press Ltd, London

Dual language edition published in 2012 by Mantra Lingua Ltd

Global House, 303 Ballards Lane, London, N12 8NP, UK

http://www.mantralingua.com

A CIP record of this book is available from the British Library

Printed inNorwich,UK 978 1 78142 135 2

Ще ми паднеш!

TONY ROSS

I'M COMING TO GET YOU!

Mantra Lingua

Далеч в друга галактика един космически кораб се устреми към

Deep in another galaxy, a spaceship rushed towards

…малка мирна планета.

. . . a tiny, peaceful planet.

Приземи се и от нея изскочи отвратително чудовище.

It landed, and out jumped a loathsome monster.

"Ще ми паднеш!" - изръмжа то.

"I'm coming to get you!" it howled.

Чудовището стъпка кротките бананови хора.

The monster crushed all the gentle banana people.

Изпотроши статуите им и разхвърли книгите им.

It smashed their statues, and scattered their books.

Изхруска планините

It chewed up the mountains,

и изпи океаните. А за десерт яде медузи.

and drank the oceans. It had jellyfish for afters.

Погълна цялата планета, освен…

It gobbled up the whole planet, except for . . .

средата, която бе прекалено гореща и краищата, които бяха
прекалено студени.

. . . the middle, which was too hot, and the ends,
which were too cold.

Все още гладно, чудовището излетя с космическия си кораб
и по пътя си похапваше малки звезди.

Still hungry, the monster flew off in its spaceship,
nibbling small stars on the way.

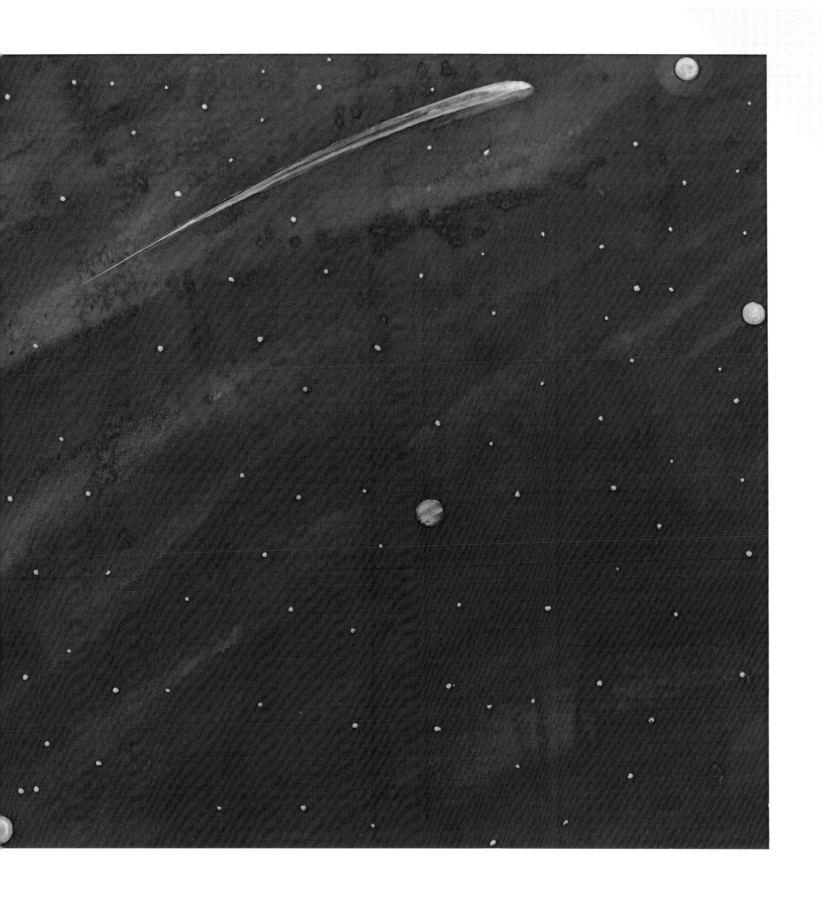

Беше видяло малка синя планета, която се казваше Земя.

It had seen a pretty blue planet called Earth.

Чудовището бе открило на радара си малкия Томи Браун.
"Ще ми паднеш!" - изрева то.

The monster found little Tommy Brown on its radar.
"I'm coming to get you!" it roared.

Беше време за сън и Томи слушаше приказка за страшни чудовища.

It was bedtime, and Tommy was listening to a story all about scary monsters.

Космическият кораб се приближи до Земята и чудовището
откри къде живее Томи.

The spaceship neared Earth, and the monster found out where
Tommy lived.

Направи кръг над града, докато търсеше точната къща.

It circled the town, looking for the right house.

Докато Томи се промъкваше към леглото, той проверяваше зад всяка стълба дали няма чудовища.

As Tommy crept up to bed, he checked every stair for monsters.

Той оглеждаше всяко място, където те можеха да се скрият.

He looked in every place they could hide.

Веднъж му се стори, че чува изтупкване под прозореца си.

Once, he thought he heard a bump outside his window.

Чудовището се скри зад една скала и зачака зората.
"Ще ми паднеш!" - изсъска то.

The monster hid behind a rock, and waited for the dawn.
"I'm coming to get you!" it hissed.

Когато стана светло, Томи забрави за чудовищата и се запъти щастлив към училище...

In the daylight, Tommy forgot all about monsters, and he set off happily for school . . .

…и тогава чудовището се нахвърли със страховит рев!

... but then, with a terrible roar, the monster pounced!

Other Bulgarian and English books

Farmer Duck

Fox Fables

Keeping up with Cheetah

Little Red Hen...Grains of Wheat

Marek and Alice's Christmas

My Bilingual Talking Dictionary

Nita Goes to Hospital

Wild Washerwomen

You're All My Favourites

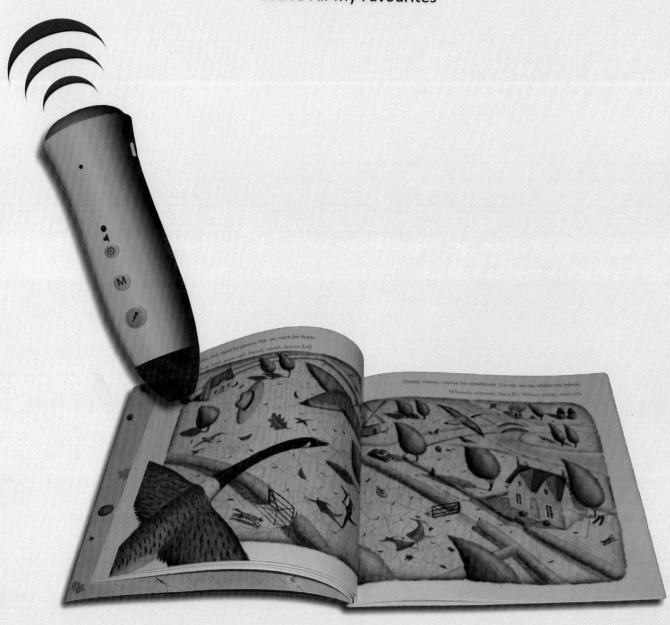